J'appr
à li
avec Sami

Sami et Julie
en classe de découverte

Sandra Lebrun et Loïc Audrain

hachette
ÉDUCATION

Avec Sami et Julie, lire est un plaisir !

Avant de lire l'histoire

- Parlez ensemble du titre et de l'illustration en couverture, afin de préparer la compréhension globale de l'histoire.
- Vous pouvez, dans un premier temps, lire l'histoire en entier à votre enfant, pour qu'ensuite il la lise seul.
- Si besoin, proposez les activités de préparation à la lecture aux pages 4 et 5. Elles permettront de déchiffrer les mots les plus difficiles.

Après avoir lu l'histoire

- Parlez ensemble de l'histoire en posant les questions de la page 30 : « As-tu bien compris l'histoire ? »
- Vous pouvez aussi parler ensemble de ses réactions, de son avis, en vous appuyant sur les questions de la page 31 : « Et toi, qu'en penses-tu ? »

Bonne lecture !

Couverture : Mélissa Chalot
Maquette intérieure : Mélissa Chalot
Mise en pages : Typo-Virgule
Illustrations : Thérèse Bonté
Édition : Laurence Lesbre
Relecture ortho-typo : Jean-Pierre Leblan

ISBN : 978-2-01-701216-0
© Hachette Livre 2017.

Tous droits de traduction, de reproduction et d'adaptation réservés pour tous pays.

Achevé d'imprimer en Espagne par Unigraf
Dépôt légal : Juillet 2019 - Édition 08 - 73/3486/9

Les personnages de l'histoire

Pour préparer la lecture

1 Montre le dessin quand tu entends le son (oi) dans le mot.

2 Montre le dessin quand tu entends le son (vvv) dans le mot.

3 Lis ces syllabes.

rou	pleu	teur	ar	vre	bre
bar	fe	fa	choi	cham	sem

4 Lis ces mots-outils.

| de | cette | moi | été | en |

| mon | une | va | aussitôt |

5 Lis les mots de l'histoire.

nichoir

lapin

chèvre

forêt

chêne

chèvrerie

5

– Bonne route…

Profitez bien de cette classe

de découverte ! dit Papa.

– Ne pleure pas, Tobi : ils

seront de retour dans une

semaine, dit Maman.

OUAF !

La route a été longue.

– Nous sommes arrivés !

annonce Madame Alfa.

– Sortons vite choisir notre

chambre ! lance Julie.

– On se met dans la même

chambre ? propose Sami

à Tom.

– Qui prend le lit du haut ?
demande Tom.

– Pas moi, répond Léo,
j'ai trop peur de tomber !

– Super ! dit Sami. Ce sera
mon nid.

Dans la forêt, le lendemain, l'animateur annonce qu'il a caché une boîte.

– Regardez bien autour de vous, encourage Madame Alfa.

– Le premier qui trouve
la boîte aura une surprise !
ajoute la maîtresse des CE1.

Surprise ! C'est un lapin
qui a trouvé la boîte avec...
le goûter des enfants !
– Doucement, ne faites pas
de bruit ; sinon il va partir,
chuchote l'animateur.

Le jour suivant, les deux classes visitent la chèvrerie.

– Oh, la jolie barbichette ! déclare Sami.

– Ça éclabousse ! crie Julie qui tire le lait du pis.

– C'est l'heure de manger !
lance l'animateur.

Aussitôt, les plus jeunes

chèvres arrivent.

– Ne bois pas trop vite !

dit Léna.

Sami pense à Tobi :

ses câlins lui manquent.

Le lendemain, l'animateur

aide les enfants à fabriquer

un nichoir.

– Tape sur le clou,

pas sur mes doigts, Sami !

– Bravo ! le félicite

la maîtresse.

Ce soir, c'est la fête ; alors
tout le monde chante...

… Et pour le dernier soir,

il y a une BOUM !

Même les maîtresses

dansent !

La maîtresse lit

une histoire ce soir.

– C'est l'heure de dormir !

Demain, le voyage sera

long, dit Madame Alfa.

– Oh non ! Le séjour était

trop court ! dit Sami.

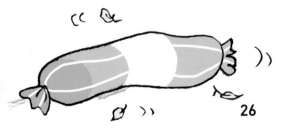

À l'arrivée, Sami et Julie

hurlent de joie :

– Tobiiii ! Tu nous as

manqué !

– Et nous alors ? disent

Papa et Maman.

28

As-tu bien compris l'histoire ?

1 Pourquoi Tobi est-il triste au début de l'histoire ?

2 Comment les enfants voyagent-ils ?

3 Avec qui Sami partage-t-il sa chambre ?

5 Qu'est-ce que les maîtresses organisent pour la dernière soirée ?

4 Quelles activités font les enfants ?

Et toi, qu'en penses-tu ?

As-tu déjà participé à une classe de découverte ? Où es-tu allé(e) ?

Es-tu déjà parti(e) sans tes parents ?

Aimerais-tu aller en classe de découverte comme Sami et Julie ?

Est-ce que tu as déjà vu ton maître ou ta maîtresse danser ?

31

As-tu lu tous les Sami et Julie ?

Niveau 1
Début de CP

 Tobi est malade
 Le tipi de Sami
 Miam Miam !
 Super Sami !
 Le CP de Sami
 Vive Noël !
 La nuit

 La dispute
 La liste de Sami
 Bonne fête Papa !
 Sami s'est perdu
 La malle de Papi
 Sami à Paris
 Sami est malade

Niveau 2
Milieu de CP

 Sami sous la pluie
 Sami a des poux
 L'amoureux de Julie
 Sami et Julie attendent Noël
 L'anniversaire de Julie
 Il neige !
 Sami à la ferme

 Sami et Julie cherchent les œufs
 Sami et Julie en classe de découverte
 La galette des rois
 Le zoo
 La fête des mères
 Le carnaval de Sami et Julie
 Sami fait de la magie

Niveau 3
Fin de CP

 Le château
 La dent de Julie
 Les groseilles
 Plouf !
 Le spectacle de Sami et Julie
 Le mariage

 Fous de Foot !
 Sami et Julie champions de ski
 Sami et les pompiers

Niveau CE1

 Sami rentre au CE1
 Sami et Julie fêtent Halloween
 Le réveillon de Sami et Julie
 Sami et Julie font des crêpes
 Le match de foot de Sami et Julie

 Vive les vacances !
 La nouvelle élève

 Tom va avoir une petite sœur
 Sami et Julie à Londres
 Julie veut devenir vétérinaire
 Le défi nature de Sami et Julie

hachette
ÉDUCATION